Le più belle storie di Pimpa e dei suoi amici
da leggere, guardare e ascoltare

Ideazione del progetto:
Franco Cosimo Panini Editore
www.storiedipimpa.it

Redazione:
Giulia Calandra Buonaura, Simona Caserta, Francesca Lolli,
Antonella Vincenzi



Finito di stampare presso Arti Grafiche Johnson
Seriate (BG) – Gennaio 2009

FRANCESCO TULLIO-ALTAN

# PIMPA
# E L'AMICA PEPITA

FRANCO
COSIMO
PANINI

OGGI È UNA BELLA GIORNATA.
LA **PIMPA** METTE IN UN CESTINO
UNA MERENDINA
E LA MACCHINA FOTOGRAFICA.

POI DICE ALL'**ARMANDO**:
«VADO IN CITTÀ A FARE LA TURISTA.
ANDRÒ AL **MUSEO**.»
«BENE» DICE LUI.

PIMPA ENTRA NEL MUSEO
E VEDE UN GRANDE QUADRO.
NEL QUADRO C'È UNA SPECIE
DI ELEFANTE CON I DENTONI RICURVI
E IL PELO LUNGO.

«CHI SEI?» CHIEDE LA PIMPA .
«MI CHIAMO MAMMUT E SONO
UN ELEFANTE ANTICHISSIMO»
RISPONDE LUI.
«PERÒ NON SEI GRANDISSIMO.»
«NO, PERCHÉ SONO UN MAMMUT
CUCCIOLO E HO FAME.»
«NON TI DANNO DA MANGIARE?»
CHIEDE LA PIMPA .
«NO!»

ALLORA LEI APRE IL SUO CESTINO
E TIRA FUORI LA MERENDINA.
«LA VUOI?» CHIEDE LA **PIMPA** .
«OH, GRAZIE!» DICE IL **MAMMUT**
LECCANDOSI I BAFFI. «PERCHÉ
NON ENTRI NEL QUADRO?»

LA **PIMPA** SALTA NEL QUADRO.
IL **MAMMUT** PRENDE LA MERENDINA 
CON LA PROBOSCIDE E DICE:

«FAI UN GIRETTO MENTRE MANGIO.»
«MI ACCOMPAGNI?» CHIEDE LA **PIMPA** .
«NON POSSO MUOVERMI DA QUI.»

«ALLORA CI VEDIAMO DOPO»
DICE LA **PIMPA** E PARTE DI CORSA.

LA MACCHINA FOTOGRAFICA
LA SEGUE SALTELLANDO.

ARRIVANO VICINO A UN GRANDE FIORE.
SOPRA C'È UN'APE ENORME.
«COME SEI GRANDE!» DICE LA **PIMPA** .
«CERTO. SONO L'**APESAURA**!»
«E FAI IL MIELE?» «NO! COS'È?»
CHIEDE L'APE SORPRESA.
«È UNA COSA BUONISSIMA.
ADESSO TI SPIEGO COME SI FA.»
E LE SPIEGA TUTTO.
«GRAZIE MILLE» DICE L'APE.
«MI METTO SUBITO AL LAVORO.»

UN PO' PIÙ AVANTI LA **PIMPA**
E LA MACCHINA FOTOGRAFICA
INCONTRANO UN CONIGLIO ROSA,
ANCHE LUI MOLTO GRANDE.
«SCOMMETTO CHE SEI IL CONIGLIO
PREISTORICO E CHE TI CHIAMI
CONIGLIOSAURO» DICE LA **PIMPA**.
«ESATTO» RISPONDE LUI, E SI METTE
A SGRANOCCHIARE DEI SASSI
CHE HA RACCOLTO PER TERRA.
«TI PIACCIONO?» CHIEDE LA **PIMPA**.
«NO!» DICE IL CONIGLIO.
«PERCHÉ NON PROVI A MANGIARE
LE CAROTE?»
«CHE COSA SONO?» CHIEDE
IL CONIGLIOSAURO SORPRESO.

«ASPETTA» DICE LA **PIMPA** .
SI GUARDA UN PO' ATTORNO
E VEDE UN CIUFFO DI FOGLIE
CHE ESCONO DALLA TERRA.
ALLORA SI METTE A TIRARE
FORTE FORTE.
E ALLA FINE DALLA TERRA
SALTA FUORI UNA BELLA CAROTA.

IL CONIGLIO LA ASSAGGIA E DICE:
«È SQUISITA! GRAZIE DEL CONSIGLIO!»

«PREGO» DICE LA **PIMPA** . POI
LO SALUTA E RIPARTE DI CORSA.

ALL’IMPROVVISO UN PULCINO VERDE
LA SORPASSA GRIDANDO: «AIUTO!»

DIETRO AL PULCINO CORRE
UN GATTONE PREISTORICO
CHE GRIDA: «HO FAME! ORA TI MANGIO!»
LA **PIMPA** LO FERMA: «HAI MAI PROVATO
A BERE IL LATTE?»
«NON SO CHE COS'È» DICE LUI,
CHE NATURALMENTE SI CHIAMA
**GATTOSAURO**.
«È UNA COSA BUONISSIMA» DICE
LA **PIMPA** . «MOLTO PIÙ DEI PULCINI.»
«E DOVE SI TROVA?»
CHIEDE IL GATTONE.
«DALLA MUCCA.»
«IO SO DOVE ABITA!» ESCLAMA
IL PULCINO TUTTO CONTENTO.
«VIENI CON ME, GATTONE.»

POI LA MACCHINA FOTOGRAFICA DICE:
«SONO UN PO' STANCA.»
«ANCH'IO. E HO FAME!» DICE **PIMPA** .

ALLORA UN PICCOLO DINOSAURO
SBUCA DAI CESPUGLI E DICE: «VENITE
A FAR MERENDA A CASA MIA?»

«EHI, VI ASSOMIGLIATE DAVVERO
TANTO VOI DUE!» ESCLAMA
LA MACCHINA FOTOGRAFICA.
«SEI UN DINOSAURO?»
CHIEDE LA **PIMPA**.
«NO! SONO UNA DINOSAURA,
E MI CHIAMO **PEPITA**.
LA MIA CASETTA NON È LONTANA.»

ENTRANO IN CASA.
PEPITA POSA SULLA TAVOLA
UN PIATTONE DI UNA COSA VERDE.
«CHE COS'È?» CHIEDE LA PIMPA
CON UNA SMORFIA.
«ERBA. È MOLTO APPETITOSA, SAI?»

PROPRIO IN QUEL MOMENTO
ARRIVA L'**APESAURA** E GRIDA:
«L'HO FATTO! L'HO FATTO!»
E METTE SUL TAVOLO UN VASETTO
PIENO DI MIELE FRESCHISSIMO.

LA **PIMPA** NE VERSA SUBITO
UNA CUCCHIAIATA SULL'ERBA
E DICE: «ADESSO SARÀ ANCORA
PIÙ APPETITOSA, VEDRAI!»

E COMINCIA A MANGIARE.
«È SQUISITA!» DICE **PEPITA** .

«POSSO ASSAGGIARNE UN PO'
ANCH'IO?» DICE ALLORA UN SIGNORE
VESTITO DI PELLI COME UN ORSO
ENTRANDO NELLA CUCINA.

«CIAO **GHERARDONE**!
TI PRESENTO LA **PIMPA** » DICE **PEPITA** .
«MOLTO PIACERE!» DICE **GHERARDONE**
SEDENDOSI A TAVOLA.

QUANDO FINISCONO DI MANGIARE
LA **PIMPA** DICE: «ADESSO DEVO
TORNARE A CASA.»
«PRIMA PERÒ VI FACCIO UNA FOTO»
DICE LA MACCHINA FOTOGRAFICA.

«POSSO ACCOMPAGNARE LA PIMPA
FINO ALL'USCITA DEL MUSEO?»
CHIEDE PEPITA A GHERARDONE.
«SÌ» DICE LUI. «MA NON FARE TARDI!»

QUANDO LA **PIMPA** ARRIVA A CASA
È GIÀ SCESA LA NOTTE.

IN CIELO CI SONO LE STELLE.

**ARMANDO** LA STA ASPETTANDO.

«HO FATTO UN PO' TARDI
PERCHÉ SONO STATA DA PEPITA.
MA TI HO PORTATO UN REGALINO.
ASSAGGIA!» E OFFRE ALL'ARMANDO
UN VASETTO DI MIELE.

«CHE COS'È?»
«MIELE PREISTORICO.
L'HA FATTO L'APESAURA,
CHE È L'APE PREISTORICA!»
«NON CI CREDO!»
«AH, NO? E ALLORA GUARDA!»

E GLI METTE SOTTO IL NASO LA FOTO
DOVE SI VEDONO L'APE, **PEPITA**
E **GHERARDONE**. **ARMANDO** CHIEDE:
«CHI È QUESTO SIGNORE?»
«È **GHERARDONE**, L'AMICO
PREISTORICO DI **PEPITA** .»

**ARMANDO** MANGIA UN PO' DI MIELE
E DICE: «HA UNA FACCIA SIMPATICA,
VERO?»

«SÌ!» RISPONDE LA **PIMPA** . «A LUI
IL **MIELE** È PIACIUTO MOLTISSIMO,
E ANCHE A **PEPITA** !»

1 Pimpa e il primo incontro con Tito
2 Pimpa, i viaggi del pinguino Nino
3 Pimpa e la talpa Camilla
4 Pimpa, tre avventure di Ciccio Porcellino
5 Pimpa e l'amica Pepita
6 Pimpa, Colombino e lo zio Gastone
7 Pimpa e l'amico Gianni
8 Pimpa, Coniglietto e i suoi fratellini
9 Pimpa e il cavallino volante
10 Pimpa, Bombo Ippopotamo e la nonna
11 Pimpa e la Pimpa gemella
12 Pimpa, Rosita, Tina e Leonardo
13 Pimpa e il corvo Corrado
14 Pimpa, le avventure di Poldo e Isotta
15 Pimpa e la scuola di Tito
16 Pimpa, i sogni di Bella Coccinella
17 Pimpa, il pesce nonno e le stelle
18 Pimpa, un giorno con Gigi Orsetto
19 Pimpa e l'anatroccolo Alì
20 Pimpa, i racconti di zio Gastone
21 Pimpa e il delfino Dino
22 Pimpa, storie colorate di Coniglietto
23 Pimpa e la gita nella foresta
24 Pimpa, i giochi di Rosita, Tina e Leonardo